Mujeres del Nuevo Testamento

ABRAHAM KUYPER

MUJERES DEL NUEVO TESTAMENTO

editorial clie

Libros CLIE
Galvani, 113
08224 TERRASSA (Barcelona)

MUJERES DEL NUEVO TESTAMENTO

© 1983 por CLIE

Depósito legal: SE-5765-2004 en España
ISBN 84-7228-792-0

Impresión: Publidisa

INDICE

ELISABET

Y he aquí que tu parienta Elisabet, también ella ha concebido un hijo en su vejez; y ya está de seis meses, la que era llamada estéril.

(Lucas 1:36)

LEASE LUCAS 1

A Elisabet le cabe el honor de ser la primera mujer que confesó a Cristo en la carne, incluso antes que María. Cuando María, después que hubo concebido por el Espíritu, fue a visitar a Elisabet, esta exclamó en oración profética: «¿De dónde a mí esto, que la madre de mi Señor venga a mí?» (v. 43). Por medio de esta inesperada e indudable confesión Elisabet reforzó la fe de María en el hecho de que ella, sin la menor duda, llevaba al Salvador del mundo en su seno.

Es esta fe firme e invariable que constituye la virtud más prominente de Elisabet. Quizá su firme convicción de que Cristo había ya empezado a asumir forma humana no nos parece a nosotros particularmente notable. Esto puede ser porque sabemos que María ya llevaba en su seno a su hijo, y que este hijo demostró ser el Mediador entre Dios y los hombres. Pero Elisabet no tenía nuestra perspectiva histórica, y por esta razón la convicción a que dio expresión es verdaderamente notable.

Israel había quedado reducido casi a la nada, debido al desprecio y malicia de la jurisdicción romana. El culto a Jehová había quedado reducido a poco más que mero formalismo. Caifás, por ejemplo, constituía un ejemplo patente de la condición de degeneración a que había llegado el sacerdocio en aquel tiempo. Y hemos de recordar que Elisabet pertenecía a este pueblo, que se hallaba en condiciones espirituales humillantes.

Además, Elisabet era anciana, una mujer que había estado pidiendo un hijo a Dios durante muchos años. Era motejada con este estigma de la esterilidad. Y no había estado presente al tiempo en que el ángel se le apareció a Zacarías. No había oído lo que Gabriel le dijo a María. Todo esto ella lo había oído de otros.

A pesar de sus circunstancias desfavorables, Elisabet trascendió inmediatamente toda duda. No sólo esperaba al Mesías que había de llegar, sino que creyó que había llegado. Cuando María fue a visitarla, ella vio y creyó inmediatamente esta maravillosa verdad: «Aquí debajo de los vestidos de esta mujer se halla mi Salvador escondido.» El Mesías ya no tenía que venir. Elisabet sabía que había venido. Y por ello oró y le confesó.

Los pasos por los cuales el Señor condujo a Elisabet a esta fe rica y plena no nos son escondidos. Su nombre era el mismo que el de la mujer de Aarón. Caifás, dijimos, era un ejemplo de degeneración del sacerdocio en su tiempo. Elisabet representaba un verdadero retoño del tronco familiar de Aarón. Ella preservaba todas las benditas tradiciones de la familia de Aarón. El Señor, por tanto, la había conducido a ello, aunque fuera a través de caminos de humillación, pues era aflictivo de un modo especial el que la hija de un sacerdote permaneciera sin hijos.

Por lo que el Señor inesperadamente la bendijo con un embarazo con el que ya no contaba. Había renunciado a la esperanza de tener un hijo. Su concepción fue acompañada de un mensaje de un ángel y de la mudez de su marido. Es patético, pero Zacarías no le pudo decir nada respecto a su encuentro con el ángel; tuvo que escribírselo. Por estas demostraciones extraordinarias, Elisabet, sabía que Dios había decidido realizar cosas maravillosas. Le parecería a ella que habían vuelto los días de Abraham y Sara, y que Dios había visitado de nuevo a su pueblo.

María fue a visitarla cuando Elisabet ya estaba de cinco meses. El instinto maternal de Elisabet le dijo que un hijo se movía en su matriz, al ver a María, y que este hijo se movía en una forma extraordinaria. Así que madre e hijo fueron afectados por la influencia del Espíritu Santo cuando se acercó el Salvador. Al instante la flor de la fe floreció del todo en Elisabet. Ella apreció y sintió la bendición del hecho que Dios, revelado en la carne, estaba cumpliendo la esperanza de sus padres.

Es interesante observar la evidencia de esta fe en Elisabet. Era la madre de Juan. María, una mujer mucho más joven que ella, y que ni tan sólo descendía de sacerdotes, era la madre del Mesías. Una situación así podría haber inducido celos en ella. Podría haberse dicho: «¿Por qué a ella este mayor honor?» Sabemos que en Elisabet no hubo tales pensamientos. Dio a María el más honroso de los nombres posibles a una mujer: «Madre de mi Señor.» Y se lo dijo de modo espontáneo y natural, sin afectación. Alabó a María como «bendita tú entre todas las mujeres». El hijo de Elisabet dijo más adelante: «El tiene que crecer y yo he de menguar.» El espíritu de Elisabet pasó a Juan, o el espíritu de Juan ya inspiraba a Elisabet. Elisabet fue el último retoño de la vara de Aarón. Judá había de dar nacimiento al Mesías, pero Aarón había de adorarle en servicio.

PREGUNTAS SUGERIDAS PARA ESTUDIO Y DISCUSION

1. ¿Quién confesó primero a Cristo en la carne?
2. ¿Cómo sabemos que la fe de Elisabet era sincera?
3. ¿Cómo sabemos que crió a su hijo en el temor del Señor?

MARIA

(1)

Su humildad

*Porque ha puesto sus ojos sobre la pequeñez de su escla-
va; pues he aquí que desde ahora me tendrán por dichosa entre todas las generaciones.*

(Lucas 1:48.)

VEASE LUCAS 1

María, la madre de nuestro Señor, era también
descendiente, o hija, de un rey. Cristo nació de ella y
sólo de ella. El apóstol Pablo afirma que Cristo era de
«la simiente de David según la carne». Y aunque las
genealogías de Mateo y Lucas terminan con el nombre de José, fue sólo a través de María que Cristo
pudo ser hijo de David según la carne.

El hecho de que María fuera la prima de Elisabet
no impide que creamos que era de estirpe regia. Es
verdad que Elisabet era descendiente de Leví, y que
generalmente los hijos de los sacerdotes se casaban
con miembros de la misma tribu. Pero, esto no era
una regla rígida.

María era, pues, la hija de un rey. Por ello su humildad se destaca aún más. No hay que pensar que pertenecer a una clase humilde sea algo vergonzoso. Aunque hija de rey estaba casada con un carpintero. No es imposible que una persona de una alta posición social descienda súbitamente a un plano social o económico más humilde. Entonces las privaciones materiales no suelen ser llevadas con gracia. Son un motivo de queja permanente. Sin embargo pueden ser una bendición para algunos. En general estas personas tienden a desarrollar mejor su alma y ser más cultas y refinadas.

Hay un punto en la vida de María en que discrepamos de los catolicorromanos. Desde 1879 confiesan que la concepción de María, o sea, su propio nacimiento fue también milagroso: sin pecado, que no estaba afectada por el pecado original. Se suele añadir a esto que además nunca pecó. De ser esto así María estaría aparte del resto de la raza humana. Tales son las implicaciones de la doctrina de la Inmaculada Concepción.

Si preguntamos la base de esta creencia, se nos refiere a Lucas 1:28: «Bendita eres tú entre las mujeres.» (Que por cierto no se halla en los manuscritos más antiguos.) Esto se expresa en griego con la palabra «kecharitomene». Orígenes interpretó esto como que significaba una gracia especial concedida a María, incluso antes de su nacimiento. Si aceptamos esto podemos decir lo mismo de Juan, porque él recibió el Espíritu Santo antes del nacimiento. Y nadie dice que Juan el Bautista nació inmaculado y puro. La Iglesia Católica cita a otros padres de la Iglesia como evidencia adicional. Pero, todas estas afirmaciones carecen de valor si no descansan sobre la Palabra de Dios. Y todavía podemos preguntar: si fue posible que María naciera inmaculada de padres pecadores, ¿por qué no tenía que ser también posible que naciera así Cristo?

Sin embargo, hay un argumento mucho más poderoso en contra de esta doctrina de la Inmaculada Concepción. Si fuera cierta, haría innecesaria y superflua la obra de la salvación. Si María pudo nacer inmaculada y permanecer sin pecado, lo mismo podía la gracia haber efectuado esto para el resto de los hombres, después de la caída. Con ello, el pecado al instante habría quedado anulado, y la venida del Mediador habría sido innecesaria.

Por tanto, para nosotros la humildad y pequeñez de María tiene un doble significado. Ocupa un estado humilde, para ilustrar cómo una princesa de la casa de David había descendido de su alta posición. Nos ilustra, además, cómo toda la raza había caído de su alta posición en el Paraíso, a los planos bajos del pecado y la culpa.

PREGUNTAS SUGERIDAS

1. ¿Qué significa la humildad y pequeñez de María?
2. ¿Por qué era necesario que tomara este estado?
3. ¿Qué significa la doctrina catolicorromana de la «Inmaculada Concepción» de María?

MARIA

(2)

La madre de nuestro Señor

Porque ha hecho por mí grandes cosas el Poderoso;
Santo es su nombre.

(Lucas 1:49.)

LEASE LUCAS 2

En su canto de alabanza, María dice que el Señor ha hecho grandes cosas por ella, y dice que su nombre es Santo. Su alabanza no era en modo alguno exagerada. No cabe mayor honor sobre un ser humano que el que le correspondió a María. Era verdaderamente la más bendita de todas las mujeres. De todas las hijas de los hombres, ella fue escogida para que el Altísimo la favoreciera con su gracia y la cubriera con su sombra. A lo largo de los siglos se le ha concedido el nombre de Madre de Dios, y no hay objeción a usarlo, con tal que se interprete este nombre debidamente.

Las Escrituras cantan honores a María y no se andan remisos en ello. El ángel la saludó como muy fa-

12

vorecida. Elisabet la llamó «bendita entre las mujeres», «Bienaventurada porque había creído» (v. 45). María misma, se daba cuenta de sus bendiciones cuando dice: «Me tendrán por dichosa todas las generaciones.» No tenemos que ir al otro extremo, cuando reaccionamos contra el énfasis excesivo a su gloria que le conceden las Iglesias Católica, Romana y Griega.

María fue elegida por Dios en un sentido único. Su privilegio fue mayor que el que se ha concedido a mortal alguno. Ello es más destacado por su estado humilde, a pesar de sus ilustres antecesores. Pero no hemos de quitarle la gloria que le pertenece porque otros le conceden honores indebidos.

El favor único que se le concedió fue el de ser la Madre de nuestro Señor, que el Hijo de Dios tomara forma humana de su carne y su sangre. María bebió de los santos ojos del niño el amor que los demás tardaron muchos años en conocer. Este honor no lo ganó; le fue concedido por Dios en su soberanía absoluta. Eligió a María. Salvó su vida y le envió el ángel para entregarle el mensaje. La abundancia de gracia que le fue concedida es motivo para que nosotros loemos, no el nombre de María, sino del Señor Dios que se la concedió. La misma esencia de la gracia nos impide que loemos a la criatura. Si hubiera virtud en el hombre para merecerla dejaría de ser gracia.

Tenemos que considerarla como muy favorecida y bienaventurada entre todas las mujeres. Estamos agradecidos de que le fuera concedida esta gracia, y por la gracia que a través de ella nos llega a cada uno. Con todo, no deja de ser «la sierva del Señor» que acepta gozosa hacer su voluntad. Al pensar en ella hemos de proclamar: «¡Gloria a Dios en las alturas!»

Queda por mencionar si María ascendió al cielo sin morir, como se nos dice de Elías. La Iglesia Católica lo defiende, pero no ha encontrado esto en la Biblia. Lo dice basándose en tradiciones. Nadie sabe cuando murió María y dónde fue enterrada. La serie de ideas que han llevado a la de la Asunción de María es: si hubiera sido enterrada, dada su importancia se sabría dónde. Además, es difícil admitir que el cuerpo de María, que había dado forma humana al Hijo de Dios, se desintegrara en la tumba. Algunos dijeron que murió y luego, resucitando, ascendió al cielo. En el occidente se habla de la «Ascensión de María». En Oriente se habla de que «durmió» y se celebra de su «Dormición». Esta idea pasó a Occidente. Luego fue reemplazada allí por la idea de la «Asunción», que significa que María ascendió al cielo sin morir.

PREGUNTAS SUGERIDAS PARA ESTUDIO Y DISCUSION

1. ¿Por qué decimos que María era «bendita entre todas las mujeres»?
2. ¿Cuál fue el privilegio concedido a María?
3. ¿Era María consciente de este privilegio? ¿Cómo lo sabemos?

MARIA

(3)

Su fe

Bienaventurada la que ha creído que tendrán cumplimiento las cosas que le han hablado de parte del Señor.
(Lucas 1:45.)

LEASE LUCAS 1:45-55

La exaltación religiosa de María, por cierto exagerada por algunos, descansa primeramente en su fe, y sobre su fe concebida como un mérito personal. Cuando María recibió el glorioso anuncio del ángel, contestó: «He aquí la sierva del Señor; hágase conmigo conforme a tu palabra.» Elisabet afirmó referente a esta confesión: «Bienaventurada la que ha creído que tendrán cumplimiento las cosas que le han hablado de parte del Señor.» La fe a la que María dio expresión, a veces se ha perdido de vista que le fue dada gratuitamente por la gracia. No fue mérito suyo alguno. Si se considera que lo fue, inmediatamente se sigue: La encarnación del Señor fue sólo posible por el asentimiento de María; por ello María hizo posible a Cristo el ofrecer el supremo sacrificio de la redención; y por la redención del mundo, y por el perdón de nuestros pecados por la sangre del Cordero. Esto es inadmisible.

No se trata de rebajar la calidad de la fe de María. Esto estaría en contra del espíritu de las Escrituras, que confirman esta fe repetidamente. Se trata más bien de hacer ver que esta fe no da lugar para la exaltación de María, pues no se aparta de la regla: «La fe no es de vosotros, pues es don de Dios.» Dios influyó en su alma y en su cuerpo: en su alma dándole la fe; en su cuerpo formando en él al Salvador, a partir de su carne y de su sangre.

Se hace destacar su virginidad como si fuera otra virtud excepcional. La Escritura no nos da base para creer que permaneciera virgen. Ni tan sólo que el nacimiento de Jesús dejara su virginidad intacta en el sentido físico. Todas las referencias a profecías sobre este punto específico, como Ezequiel 44:2 están fuera de lugar.

No se insiste sobre este punto para negar o afirmar que tuviera otros hijos después del nacimiento virginal de Belén. Esto no se podrá demostrar nunca. El que se hable de los «hermanos» de Jesús no significa nada. «Hermano» es usado en la Biblia para hermanastros, y aún más general, como parientes (Génesis 3:18; 14:16; 29:12; Números 8:26; 15:10, etc.). Si insistimos sobre esto es para decir que no sabemos que Dios prefiera una virgen a una madre. El caso de María no es aplicable, ya que no fue elegida para que diera el nacimiento como virgen porque esto significara mayor categoría, sino por razones teológicas mucho más profundas.

Podemos tener en gran estima a María como Madre del Señor y como Escogida del Altísimo, pero las Escrituras no nos dicen que fuera una mujer de extraordinaria vitalidad espiritual. Se la menciona quince veces después del relato de los sucesos en Belén. Cuando Jesús tuvo doce años fue con El al Templo de Sión. En aquel entonces María no entendía a Jesús. La vemos otra vez en las bodas de Caná. Ella misma dice que no entendía los profundos pensamientos de Jesús. Luego en Mateo 12:46, cuando quiere hablar con su hijo, Jesús más bien la reprende. En el Gólgota no revela penetración espiritual alguna, sino los sentimientos normales en toda madre. Cuando Jesús asciende al cielo hallamos a María entre el grupo de creyentes (Hechos 1:14). Su nombre es mencionado al final de todos. Al parecer no era muy prominente.

Los apóstoles no la mencionan, ni en Pentecostés ni en ninguna otra ocasión, al predicar a Cristo. Pablo recibió el evangelio directamente de Jesús, y ni tan sólo menciona su nombre. Ni en los Hechos ni en las Espístolas se le conoce honor alguno. No se le pide opinión en ocasión alguna. Desaparece de las Escrituras de modo inconspícuo.

Quien compara la posición de María en las Iglesias Católica, Romana y Griega, en el culto y en el corazón de su religión, con el silencio que se mantiene sobre ella en los Hechos y en las Epístolas, no puede por menos que pensar que los Padres apostólicos pensaban de ella más o menos lo mismo que los teólogos de la Reforma.

PREGUNTAS SUGERIDAS PARA EL ESTUDIO Y DISCUSION

1. ¿Por qué es María parcialmente alabada por la redención del mundo?
2. ¿Hay alguna prueba escritural de que María permaneciera virgen después del nacimiento de Cristo?
3. ¿Fue María una mujer excepcionalmente espiritual?

ANA

En ese momento se presentó ella, y comenzó también a
expresar su reconocimiento a Dios y a hablar de él a to-
dos los que aguardaban la redención en Jerusalén.

(Lucas 2:38)

LEASE LUCAS 2:36-38

Toda la gloria del nacimiento de Jesús se concen-
tró sobre el antiguo reino de Judá. Tanto José como
María descendían de la tribu de Judá. Elisabet vivía
en Judá y allí nació Juan. Belén pertenece a Judá.

Sin embargo, Jesús vino para todo Israel, y más
que para Israel, para ser luz a los gentiles. Los magos
vinieron como representantes de los países paganos,
para rendir tributo al nuevo Rey. Y Ana, la profetisa
del Templo, vino a confesar la esperanza de sus padres por parte de Israel, que se hallaba fuera de los
dominios propios de Judá. No descendía de la tribu
de Judá. Era hija de Fanuel, de la tribu de Aser. La
tribu de Aser estaba situada en las tribus dispersas.
Por eso su cargo en el Templo tenía significancia especial. Bajo Joroboam, las Diez Tribus se habían
emancipado de la casa de David, y durante los siglos,
habían seguido rechazando el Mesías de Israel y el
Dios del Pacto. Ahora vemos que Ana aparece en el

Templo, junto a la figura de Simeón, para saludar al Rey de la Casa de David. Parece como si Ana viniera a llamarle a que fuera al Lago de Genezaret y a la despreciada Galilea, a fin de que pudiera recoger un pueblo rebelde a su Reino.

Simeón y Ana eran los dos ancianos. Ana tenía ochenta y cuatro años. No representaba pues, ni tampoco Simeón, a la nueva generación. No pertenecían al círculo del cual el Señor escogió sus discípulos, ni al grupo del que escogió a María y Marta. Al contrario, pertenecían a Israel que moría. Ana extendió la palma de honor a Cristo, no como representante del pasado, sino del futuro. Parece como si viniera a ofrecerle la acción de gracias de cuarenta generaciones a los pies de Jesús, antes de morir.

Ana trajo esta ofrenda como mujer, después que Simeón lo había hecho como hombre. Así, observamos que los dos sexos, juntos e individualmente, son llamados a glorificar al Dios de Israel. Junto a Abraham hallamos a Sara, junto a Barac a Débora, junto a Moisés a Sípora. Y a Ana, de Aser, junto a Simeón. No era su mujer, sin embargo. Su relación era intensamente espiritual, que trasciende toda diferencia de sexos. Se había casado, ya hacía sesenta años, y vivió siete años con su marido. No se nos dice qué fue de él, y ella no se había casado otra vez. Se hallaba recluida en el Templo, guardando y sirviendo en él de día y de noche, con ayunos y oraciones. Su vida debió ser de genuina piedad, y tenía que haber oído de Simeón que el Cristo había de venir antes de su muerte.

Además de lo dicho, era profetisa, y queda incluida en la larga serie de los que habían sido heraldos del Profeta y Maestro venidero a lo largo de los siglos. Cristo representaba a una tribu de reyes. Zacarías y Elisabet a una tribu de sacerdotes. Ana representaba a los profetas. Esta última profetisa viene a confirmar lo que habían anunciado los que la habían precedido, especialmente Isaías y Malaquías. No sólo confesó a Cristo, sino que «comenzó también a expresar su reconocimiento a Dios y a hablar de él a todos los que aguardaban la redención en Jerusalén.»

Su testimonio en el Templo fue la última voz de la profecía que se oyó. La profecía había cumplido su cometido. Juan, el heraldo del Señor, estaba esperando a la puerta.

PREGUNTAS SUGERIDAS PARA ESTUDIO Y DISCUSION

1. ¿Cuál es el significado de Ana en la redención que nos trajo Cristo?
2. ¿Por qué era Ana la última profetisa?
3. ¿Cuál es el significado de los antecedentes de Ana para la aceptación de Jesús como el Cristo?

LA SUEGRA DE PEDRO

Habiendo entrado Jesús en casa de Pedro, vio a la suegra de éste postrada en cama con fiebre.

(Mateo 8:14)

LEASE MATEO 8:14-17

Cuando Jesús dijo a Pedro y a Andrés: «¡Seguidme!» los dos dejaron todo lo que tenían y le siguieron. Los lazos que unían a Pedro, y en general a los discípulos, con sus familias tenían que ser cortados, y nuevos lazos tenían que aparecer para sustituirlos. Pero, Pedro ya no pertenecía a Betsaida, ni a la familia de su padre Jonás. Pertenecía a Jesús y a su Reino. Recordemos a Jesús: «El que ama a su padre o madre más que a mí no es digno de mí.» Esto parece una exigencia extrema. Y los primeros cristianos hicieron este sacrificio por sus convicciones: lo dejaron todo para seguir a Jesús.

Eso no era obstáculo para que los lazos deshechos entre el discípulo y su familia fueran luego reconfirmados. Esto ocurrió en el caso de Salomé, la madre de Juan y Jacobo, y en este caso entre Pedro y su suegra. Estas mujeres creemos que se convirtieron a la fe. En cuanto a Salomé es seguro. Sabemos de la suegra de Pedro que servía a Jesús. No cabe duda que el milagro recibido tenía que disponerla a adorar al Señor.

No sabemos si vivía en Betsaida o Capernaum,

21

aunque no importa. Allí Pedro y Andres poseían una casa. Posiblemente heredada de su padre. Pedro era casado, y al seguir a Jesús dejó la casa a cargo de la esposa. Cuando Jesús visitó la casa, su madre vivía con ella. No sabemos si Andrés era casado. Tampoco sabemos si había hijos. Sabemos que la esposa de Pedro todavía vivía cuando Pablo era creyente, por la referencia que hace a ella en 1.ª Corintios 9:5.

En nuestra historia vemos que la suegra de Pedro está enferma. No sabemos si era una enfermedad grave. Pero, sí que Jesús llegó, le tocó la mano, y a pesar de que «estaba postrada en cama» se puso bien: se levantó y les servía.

De este incidente aprendemos que el hecho que Jesús mandara a sus discípulos que lo dejaran todo para seguirle no les impedía mantener las relaciones con la familia, pues de otro modo Pedro no les habría visitado. En este caso toda la familia alaba al Maestro.

Las relaciones entre yernos y suegras no siempre son lisas y suaves. Es posible que en algunos casos no haya la discreción debida o la paciencia deseable por parte de los dos, en estas relaciones. Por otra parte el amor puede superar todas las discrepancias y diferencias en el modo de ver las cosas. En el caso de Pedro hemos de creer que su enfermedad había unido a toda la familia en oración. Ahora, una vez curada, ella muestra su amor y se dedica a servir al grupo que había traído a casa su yerno, especialmente a Jesús, que la había curado. Reinaba la armonía en aquella casa.

PREGUNTAS SUGERIDAS PARA ESTUDIO Y DISCUSION

1. ¿Qué quería decir Jesús cuando les decía a los que habían de ser sus discípulos: «¡Sígueme!»?
2. ¿Curó Cristo a esta mujer del todo?
3. ¿Qué lección particular aprendemos aquí sobre las relaciones dentro de la familia?

SALOME

Entonces se le acercó la madre de los hijos de Zebedeo, con sus hijos, postrándose ante él y pidiéndole algo.

(Mateo 20:20)

LEASE LUCAS 20:20-28; MARCOS 15:40, 41

Salomé era la esposa de Zebedeo, y la madre de Juan y Jacobo. Lo notamos al comparar Marcos 15:40 con Mateo 27:56. Marcos nos da el nombre de Salomé como una de las mujeres que estuvieron presentes en el entierro de Jesús. En Mateo no se menciona su nombre pero se la designa como la madre de los hijos de Zebedeo. Salomé podía considerarse como muy bendecida entre las mujeres, puesto que era la madre de dos de los discípulos más queridos por Jesús. Es indudable que los tres apóstoles en quienes Jesús tenía más confianza eran Pedro, Juan y Jacobo. Más adelante apareció Pablo, pero este no formaba parte de los doce. Jacobo y Juan, junto con Pedro, siempre son nombrados en ocasiones aparte. Jacobo murió como mártir según vemos en Hechos 12:2, por lo que su entrada en el cielo precedió a la de los otros apóstoles. De los once que habían presenciado la ascensión de Jesús en el monte de los Olivos, Jacobo fue el primero llamado a la comunión con el Señor.

23

La vida de Salomé, pues, dio mucho fruto. Sus dos hijos retuvieron su posición clave entre los apóstoles. Juan murió mucho más tarde. Fue el último de los apóstoles que murió, después de la revelación de Patmos.

Salomé era la mujer de un pescador. Vivían en la cosata del Lago de Genezaret. Era de esperar que sus hijos Juan y Jacobo seguirían moviéndose entre barcas y redes, continuando la ocupación de su padre. Pero, el curso de la familia fue cambiando súbitamente cuando Jesús los llamó a formar parte de su grupo. Su posición como apóstoles de un Rey con poder en el cielo y en la tierra cambió las ambiciones de Salomé para ellos, como veremos a continuación.

Hay multitud de leyendas con respecto a Salomé. Por ejemplo: que nació de un primer matrimonio de José, y por ello estaba emparentada con la familia de María. Otra, que era hija de Zacarías. El sentido de ellas es establecer el hecho que Jacobo y Juan probablemente habrían ya oído hablar de Jesús, cuando este los llamó. Más probable es que la familia había oído hablar de Jesús a través de Juan el Bautista, cuando este predicaba junto al Jordán. Esto significa que la familia ya estaba preparada para recibir el mensaje, pues no se nos dice que Zebedeo hiciera el menor esfuerzo para retenerlos; en cuanto a María sabemos que fue luego ella misma a escuchar a Jesús y que siguió a las mujeres. Ya vimos que fue una de las mujeres que preparó los lienzos y especias para el entierro de Jesús.

El pecado de Salomé era el de los apóstoles. Reconoció que Jesús era el Mesías, pero no podía separar al Mesías de la gloria temporal de Israel. No se dio cuenta que los hijos de Abraham lo eran por la fe, no por sus hijos y por Pedro, y quizá sintiera incluso celos de Pedro y quiso asegurarse de que sus hijos, cuando Jesús viniera en su Reino, tuvieran un lugar de honor en él. Estas razones, comprensibles al considerar el orgullo natural de madre, la inducen a esta petición pecaminosa. No procedía de la fe, sino de lo opuesto a la fe.

¿Cuál fue la respuesta de Jesús? Dirigiéndose a sus hijos, que estaban con ella, les pregunta si podían beber de la copa que estaba preparada para él. Los hijos respondieron que podían. Jesús les confirmó el hecho que realmente lo harían: profetizando con ello el martirio, del que los dos iban a morir más adelante en distintas circunstancias. ¡Esta fue la corona de Salomé! ¡Una corona de eterno peso de gloria!

PREGUNTAS SUGERIDAS PARA ESTUDIO Y DISCUSION

1. «¿Qué dos hijos de Salomé fueron seguidores de Jesús desde el principio de su ministerio?
2. ¿Qué categoría tenían entre los discípulos? ¿En qué orden murieron?
3. ¿Cuál era el principal pecado de Salomé? ¿Estaba orgullosa de sus hijos?

LA MUJER CON FLUJO
DE SANGRE

En esto, una mujer enferma de flujo de sangre desde hacía doce años, se le acercó por detrás y tocó el borde de su manto.

(Mateo 9:20)

LEASE MARCOS 5:24-34

La mujer arrastra aún las consecuencias de la maldición del Paraíso: «En dolor darás a luz a tus hijos» Y no sólo dolor en los partos, sino una multitud de dolencias relacionadas directa o indirectamente con este proceso fisiológico. No sabemos si la enfermedad de esta mujer había resultado de algún parto, pero no hay duda que podía haberse dado este caso.

Esta mujer sufría su pena y su molestia en secreto. No se nos dice nada más, sino que se trataba de un «flujo de sangre» o sea hemorragias, y que ya hacía doce años. Después de tantos años hemos de suponer que su salud habría decaído, y que se encontraría pálida y decaída. En cambio su fe era firme y enérgica. De no haber sido así no se habría atevido a mezclarse con la multitud para cercarse a Jesús en público.

No se atrevió sin embargo a hablarle a Jesús de esta dolencia. Es posible que estuviera avergonzada de la misma. Por ello se acercó por detrás y tocó el borde del manto de Jesús. Sabemos que como resultado de este acto de fe, («Si tocó aunque sólo sea su manto»), la mujer quedó realmente curada de su aflicción. Cesó el flujo, después de tantos años, en aquel momento.

Hemos de suponer que la mujer habría ido más de una vez al médico. Pero no había conseguido ningún resultado. No cabe duda que había hecho lo debido al ir al médico. Pero el don de la medicina dista mucho de ser perfecto. No había recibido ayuda alguna. Por otra parte, sus medios de vida no serían abundantes, y la pobre mujer necesitaba todo lo que tenía para su sustento. Cansada y decepcionada, ya se habría resignado a sufrir su enfermedad en silencio.

Pero, la fe le impidió llegar al desespero. Fue a Jesús. No pidió nada. Tocó el borde de su manto. Y quedó sanada. La fe puede realizar cosas estupendas. Jesús se lo dijo: «Tu fe te ha sanado; vete en paz y queda sana de tu aflicción.» Aun cuando hemos de ponernos en manos del médico cuando estamos enfermos, no siempre es la voluntad de Dios que recibamos la curación por este medio, o por ningún medio. Dios siempre nos sostendrá y aliviará el sufrimiento, aunque no nos cure. El da a los que sufren una visión de su compasión y amor.

PREGUNTAS SUGERIDAS PARA ESTUDIO Y DISCUSION

1. ¿Qué resultado había obtenido esta mujer de ir al médico, o de los otros médios de curación que había probado, antes de que Jesús la curara?
2. ¿Qué rasgo de la mujer le condujo a tocar el manto de Jesús?
3. ¿Premia la fe de todos los enfermos Dios curándoles de sus doencias? Si no lo hace, ¿qué hace?

MARIA MAGDALENA

Y algunas mujeres que habían sido sanadas de espíritus malignos y de enfermedades; María la llamada Magdalena, de la que habían salido siete demonios.

(Lucas 8:2)

LEASE LUCAS 8:1-2; MATEO 28:1-15

María Magdalena es el equivalente femenino de Pedro en el círculo que seguía a Jesús Los dos se caracterizaban por su celo y su fervor; fervor que a veces era excesivo y tenía que ser reprendido.

Magdalena, la ciudad natal de María, estaba a tres millas de Capernaum. No es raro pues que oyera pronto de Jesús y se pusiera en contacto directo con Él. María era un personaje conocido en Magdala. Era relativamente rica y había estado sujeta a la influencia de los demonios. Algunos dicen que era adúltera, pero no es justo decirlo no teniendo ningún dato. No tenía nada que ver con la mujer pecadora que lavó los pies a Jesús. Podemos suponer, por su posesión de demonios, que era de naturaleza apasionada e impetuosa. Pero María se había librado de estas influencias. Jesús expulsó sus siete demonios y a partir de aquel momento, María Magdalena, dedicó su fervor apasionado a servir a Jesús.

Permaneció con las mujeres que seguían a Jesús y sus discípulos, que les servían según necesitaban y que cuidaban de ellos. Necesitaban dinero, alimento, vestido. El dinero lo proveían estas mujeres, según vemos en Lucas 8:3.

Pero, este servicio material no era la única prueba de lealtad de María Magdalena a su Salvador. Cuando Jesús fue a Jerusalén para sufrir y ser crucificado, María Magdalena le acompañaba. En la cruz, todos los discípulos excepto Juan, habían huído en el momento de la crisis. Pero, María Magdalena permaneció y fue testigo de la muerte de Jesús (Marcos 15:40, 41). Y después de los sucesos del Gólgota, participó en los preparativos de su entierro. Fue también una de las mujeres que se dirigió al sepulcro para derramar especias sobre la tumba. Y cuando hallaron que el cuerpo no estaba allí, fue María la que fue a Jerusalén y halló a Pedro y le comunicó la noticia que lo habían robado.

Pero, esto no fue bastante. Regresó inmediatamente a la tumba, probablemente antes que los apóstoles llegaran allí. Sabemos que tuvo un encuentro con Jesús y que no le reconoció, pero fue sin duda la primera mujer que le vio. Fue necesario que Jesús la llamara por su nombre antes que sus ojos fueran abiertos. Entonces le reconoció y cayó de rodillas. Otra vez muestra su celo y trata de acercarse a Jesús, pero el Señor le ordena que no le toque. En su fervor, consumida por él, como en todo en su vida, Jesús tuvo que frenar a María. Cuan distinta, por ejemplo, de María de Nazaret, o de Salomé, o de Marta, la hermana de Lázaro.

Pero, este fervor, esta impetuosidad, debidamente templado puede dar mucho fruto. La Iglesia no tiene que despreciar a las Magdalenas.

PREGUNTAS SUGERIDAS PARA ESTUDIO Y DISCUSION

1. ¿De cuál apóstol de Jesús es el equivalente María Magdalena? ¿Por qué?
2. ¿Cuál era la debilidad del carácter de Maria Magdalena?
3. ¿En qué forma especial ayudaba a Jesús?

MARIA, LA MADRE
DEL APOSTOL

Estaban de pie junto a la cruz de Jesús su madre, y la
hermana de su madre, María mujer de Cleofás, y María
Magdalena.

(Juan 19:25)

LEASE JUAN 19:25-42

No hay que confundir las seis Marías de que nos
habla el Nuevo Testamento. Son: 1. María de Nazaret, la madre de Jesús; 2. María de Betania, la hermana de Lázaro; 3. María de Magdala; 4. María de Jerusalén, la madre de Juan Marcos; 5. María de Roma,
una ayudanta de Pablo; y 6. María, la madre del
apóstol, que no sabemos dónde vivía, aunque sería en
la vecindad del Lago de Galilea.

Hablaremos aquí de la última, a la que distingui-
mos de las demás llamándola «la madre del apóstol».
Se la llama a veces «la otra María», pero esto no significa nada y da lugar a confusión.

Se había casado con Cleofás, de Alfeo, y tenía dos
hijos, Jacobo y José. Jacobo era uno de los apóstoles.
Se le suele llamar Jacobo, el menor, para distinguirlo
del hermano de Juan. La característica esencial de la

31

María que estudiamos era que, con las otras mujeres, seguía a Jesús y ministraba a sus necesidades. Es lo que vimos hacía también María Magdalena, y otras que nos son mencionadas. María la madre del apóstol presenció también la tragedia de la cruz y participó en el entierro de Jesús. Fue también una de las primeras que contempló a Jesús levantado de la tumba.

Si la comparamos con María Magdalena podemos ver que era una mujer muy distinta: no tenía los rasgos de impetuosidad y ardor de esta, pero su servicio no tenía por qué ser menos útil por ser inconspicuo. Sería una persona piadosa, quieta, servicial, que no necesitaba figurar en primera línea, como les gustaba a la Magdalena y a Pedro.

Pero, la escala de valores de Dios es diferente de la nuestra, si es que nosotros damos más importancia a las personas que destacan más. Dios quiere también a los que cantan en el coro, no únicamente a los solistas.

Hay muchos cuya ambición excede su capacidad. Cuando consiguen ponerse a la altura de los héroes. Hay otros que, sin ser héroes, trabajan de modo constante y no tiene por qué su celo ser menor que el de aquellos. Dios ha hecho a algunos más decididos, más impulsivos y ardorosos. Una fe quieta puede dar tanto fruto como una fe espectacular. María tiene un especial encanto: amaba a Jesús y le servía quietamente.

PREGUNTAS SUGERIDAS PARA ESTUDIO Y DISCUSION

1. Identificar las seis Marías del Nuevo Testamento.
2. ¿Qué encanto tiene la vida de esta María?
3. ¿Cómo podemos compararla a María Magdalena?

MARIA DE BETANIA

Pero sólo una cosa es necesaria; y María ha escogido la parte buena, la cual no le será quitada.

(Lucas 10:42)

María de Betania representa una mujer mística, contrastando con Marta, que es un ejemplo de piedad activa. La primera escogió vivir en su mundo interior; la segunda prefirió hacer más hermoso el mundo que la rodeaba. Esto son dos ejemplos, pero se dan naturalmente, toda clase de posiciones intermedias en nuestras iglesias.

No se trata de algo que uno escoge: ser de una u otra forma, sino que es cuestión de temperamento y de la verdadera esencia de la personalidad. Por ello la una no debe pasar juicio condenatorio sobre la otra. Los dos tipos tienen que existir. Es más, no podemos pasarnos de ninguno de los dos. El mundo suele preferir a la mujer activa, pero necesitamos también los pensamientos profundos y la meditación de la otra. Por otra parte, una vida de excesiva introspección sería como un sueño.

Por esta razón María de Betania ocupa una posición peculiar en el grupo de amigos de Jesús. Representa la mujer de pensamientos internos profundos y cultivados. Ve lo que otros no ven. Observa, y sus pa-

33

labras y actos suelen ir más profundo que los de los que la rodean.

Se nos dan tres particulares de su vida, los tres típicos de esta clase de mujer. Aproximadamente un año antes de la muerte y resurrección de Lázaro Jesús había parado en Betania. En aquella ocasión Marta se apresuró a servir a Jesús, pero María se colocó a sus pies escuchando sus palabras. «María escogió la parte buena», nos dice Jesús. Un año después Lázaro murió. Observamos que Marta corre a recibir a Jesús, mientras María está todavía aturdida por los sucesos y se queda en casa. Poco antes de morir Jesús vuelve a parar en Betania. Marta había preparado la comida y se aseguraría que no faltara nada en la mesa. Pero María notó que faltaba algo. A la prosa, añadió poesía divina, ungiendo al Maestro amado con un frasco de perfume de nardo. Fue como si dedicara al Cordero de Dios al inminente sacrificio.

No siempre aprecia el mundo estos rasgos delicados. A estas personas se las acusa de pasivas. Marta le echó en cara que descuidaba el deber de ayudar a los preparativos. Jesús la defendió. En la tumba de Lázaro, las lágrimas de María conmovieron al Maestro el cual acabó también llorando al verlas. Y cuando María le ungió con el perfume de nardo, Jesús otra vez aprobó lo que otros criticaban y dijo que su acción sería recordada en las generaciones futuras.

No podemos olvidar el valor de la vida emocional y meditativa de las Marías. Son lámparas en la iglesia. Son llama de amor viva.

PREGUNTAS SUGERIDAS PARA ESTUDIO Y DISCUSION

1. ¿Cuál fue la buena parte que escogió María?
2. ¿Cómo dedicó a Cristo para su sacrificio? ¿Qué otras cosas recordamos de ella?
3. ¿Queda justificado un misticismo puramente sentimental?

MARTA

Pero Marta se preocupaba con muchos quehaceres, y acercándose dijo: Señor, ¿no te importa que mi hermana me deje servir sola? Dile, pues, que me ayude.
(Lucas 10:40)

LEASE JUANS 11:1-45

Nos es difícil pensar en Marta sin traer a María a escena. Las dos son diferentes, es verdad. María era una cristiana quieta, que gustaba de escuchar a Jesús, sentada a sus pies. Marta estaba en contínuo trajín, afanándose por servir mejor al Maestro. Sería un error hacer el contraste entre las dos como de luz y tinieblas, bien o mal.

Jesús le dijo a Marta, cuando esta le instó a que ordenara a su hermana que la ayudara, que María había escogido la buena parte, es decir algo mejor a la actividad incesante de Marta. Podríamos comparar diciendo que la una trabajaba con oro, y la otra con plata. Pero no hemos de olvidar que Dios en su soberana elección había llamado a cada una a un servicio distinto. Isaías era un profeta, lo mismo Amós. Pero no se confundían. Juan era un evangelista; lo mismo Marcos, pero el Evangelio de Juan es distinto del de Marcos, como el mensaje de Isaías es distinto del de Amós. Cada uno cumplió su responsabilidad siguiendo su camino señalado.

Jesús no reprendió a Marta porque estaba ocupada. La reprendió porque quería arrancar a María de los pies de Jesús, la porción que había escogido su hermana. Marta probablemente miraba con desdén a su hermana arrobada escuchando a Jesús, no comprendiendo su quietud y misticismo. Para ella la vida era actividad y servicio. Pero, el servicio de ministrar misericordia y ayuda no lo es todo. En la iglesia hay también el ministerio de la palabra. El diácono que visita enfermos no puede menospreciar al pastor que predica la Palabra, pensando que sería mejor que él también visitara enfermos.

Marta, pues, tenía su trabajo particular, y estaba orgullosa de hacerlo bien. Aquí es donde tiene su punto flaco. Era una mujer íntegra, que amaba ardientemente a Jesús, que se ocupaba de lo humilde para servir al maestro. En la vida se necesitan mujeres capaces y dispuestas como Marta, mujeres que puedan aceptar toda clase de responsabilidades. En la familia son absolutamente indispensables.

María escuchaba a Jesús, la mejor parte. Pero luego, todos ellos se sentaron a la mesa, bendecida por el Señor, pero servida por Marta.

PREGUNTAS SUGERIDAS PARA ESTUDIO Y DISCUSION

1. ¿Queda justificado estimar el en poco a Marta?
2. ¿Cómo podemos comparar el rango de Marta con el de María?
3. ¿Hay lugar en la Iglesia de Cristo para Martas?

LA MUJER SAMARITANA

Vino una mujer de Samaria a sacar agua, Jesús le dijo: Dame de beber.

(Juan4:7)

LEASE JUAN 4:1-42

Esta mujer no podemos decir que fuera un modelo de virtudes. El hecho de que cinco maridos se le murieran no puede achacársele como culpa suya, pero sí el que, cuando fue al pozo y encontró a Jesús, estuviera viviendo con un hombre que no era su marido.

Era sin duda una mujer desenvuelta, no muy recatada, probablemente un tipo que procuraríamos evitar si asistiera a la misma iglesia que nosotros. Y sin embargo, Dios, en su Providencia dirige las cosas de tal forma que esta mujer mundana, superficial y probablemente inculta, recibe una revelación extraordinaria, pues Jesús le habla de términos de gran profundidad y simbolismo, que se reservaba para ocasiones solemnes.

La mujer va al pozo, donde se halla Jesús sentado. Le pide de beber, pero sólo como excusa para entrar en un tema más profundo. La mujer de momento no entiende lo que dice, pero Jesús, poco a poco, le pone delante una visión espiritual y delicada que nos asombra pensar como podría ser captada por la mujer. Algunos no han vacilado en llamar esta entrevista pura ficción, una alegoría. Sabemos que fue real y conocemos el resultado de esta conversación.

La lección para nosotros es clara. Nos habla del concepto que tenemos de nuestra propia piedad: probablemente trataríamos de evitar a una mujer como la de Sicar, dándola por un caso perdido. Jesús en cambio la escogió para convertirla y le indujo a hacer una confesión de fe.

Al mismo tiempo nos reprende a nosotros porque nos consideramos buenos y nobles. Nosotros pertenecemos a los que dicen, según las Escrituras: «Apártate de mí, que soy más santo que tú.» El relato de la mujer de Samaria nos deja corridos y avergonzados. La gracia de Dios permanece soberana e independiente. Busca a los perdidos, no a los justos. Lo que cuenta es si es posible tocar la conciencia. Era posible en el caso de la mujer de Samaria.

PREGUNTAS SUGERIDAS PARA ESTUDIO Y DISCUSION

1. ¿Cuál era el carácter general de la mujer de Samaria?
2. ¿Cuál es el significado para nosotros de la conversación de Jesús con ella?
3. ¿Qué actitud nos muestra que hemos de adoptar hacia los que no pertenecen a la iglesia? ¿Lo hacemos siempre?

LA MUJER CANANEA

Y he aquí que una mujer cananea, que había salido de aquellos confines, gritaba diciéndole: ¡Señor, Hijo de David, ten compasión de mí! Mi hija es gravemente atormentada por un demonio.

(Mateo 15:22)

LEASE MATEO 15:21-28; MARCOS 7:24-30

Por el relato no podemos decir si esta mujer se convirtió. Sólo que Jesús alabó su fe y por ella consiguió que su hija fuera librada del demonio, pero no sabemos si su fe era verdadera fe para la salvación. Se nos dice que la mujer insistió, a pesar de ser rechazada su petición repetidamente y que finalmente Jesús accedió a concederle lo que le pedía.

No se nos habla pues de gracia espiritual. Vemos que la comparación que hace Jesús de esta mujer, «echar pan a los perrillos» la clasifica como extraña al pueblo de Israel, no perteneciente al pacto. La mujer era cananea, descendiente del antiguo pueblo que ocupaba Canaán antes de la llegada de los Israelitas. Habitaba cerca de Tiro y Sidón, ciudades de pésima reputación.

La mujer tenía fe en que Jesús podía curar a su hija. Fe en un milagro. Podemos suponer que esta fe no era el producto de una tendencia natural, sino el resultado de la gracia común de Dios, que permitió el encuentro de esta mujer con su amado Hijo. Como resultado de esta entrevista y del milagro, el pueblo de Israel fue abochornado por su incredulidad. Esta mujer extranjera se adhería al Mesías, aunque esta adhesión fuera externa. Era una protesta contra la orgullosa creencia de los israelitas de que ellos habían de ser para siempre la única nación favorecida.

Dios tiene compasión y libra a los hombres de la misería humana, sin necesidad de tratarse de la gracia que genera fe salvadora. La mujer nos enseña que en toda situación aflictiva hemos de orar. La mujer cananea oró de modo inteligente: sabía que Jesús podía salvar a su hija. Perseveró y venció.

Es verdad que no pedía una bendición espiritual, ni para ella ni para su hija. A pesar de ello, nos enseña algo sobre el misterio de la oración. Hay que orar sin la menor insinuación de duda. Hay que rendirse a la suprema soberanía de Dios. Cuanto más era reprendida con más intensidad pedía. Ya nos dice Santiago que el que ora dudando es como una «ola del mar echada de acá para allá por los vientos». Esta mujer era lo opuesto. La fe es posible en el no creyente, aunque en este caso no se trata de la fe genuina, verdadera, que obra para salvación.

PREGUNTAS SUGERIDAS PARA ESTUDIO Y DISCUSION

1. ¿Qué significa la frase: «No está bien tomar el pan de los hijos y echarlo a los perrillos?
2. ¿Nos avergüenza a veces Dios, dándonos como ejemplo «la fe en lo milagroso» hasta en un pagano?
3. ¿Qué nos esta mujer respecto a la oración y a la perseverancia?

LA MUJER DE PILATO

Y estando él sentado en el tribunal, su mujer le mandó a decir: No tengas nada que ver con ese justo; porque hoy he padecido mucho en sueños por causa de él.

(Mateo 27:19)

LEASE MATEO 27:15-31

No es raro que un hombre adusto y duro reciba la bendición de una esposa suave en su trato y que ejerce una influencia benéfica sobre él. Pilato es un ejemplo. Era un verdadero déspota, que abusaba de su autoridad y poder. Sus superiores tuvieron que relevarle de su cargo por los abusos cometidos. La forma vergonzosa en que trató a Jesús, estando convencido de que era inocente, mandándole azotar y luego crucificar nos da evidencia de su naturaleza despótica.

Pero su esposa era muy distinta. Es evidente que se interesaba directamente en las actitudes de su marido, procurando moderar sus excesos en la ejecución de sus deberes oficiales. En este caso tenía que estar enterada del arresto del rabino judío y del juicio a que se le sometería al día siguiente. Su sueño inquieto está poblado de pesadillas. Se levanta angustiada y manda encargo a su marido que «por causa de aquel justo ha sufrido mucho en sueños durante la noche».

41

No sabemos hasta que punto la mujer deseaba favorecer a Jesús porque consideraba que era inocente, aunque esto es perfectamente posible. De lo que no cabe duda es que trataba de evitar que su esposo hiciera lo que precisamente hizo: poner sobre su cabeza la sangre de un justo y además un maestro religioso.

Desde el punto de vista humano, en el hecho hemos de ver una mujer pagana, de naturaleza delicada y sensible, que trata de evitar que su marido cometa una atrocidad que sólo podía invitar la ira y venganza divinas. En su sentido de responsabilidad respecto a su marido es indudable que nos resulta una figura amable. Para ella, el marido y sus actos era algo del mayor interés, aunque no era un hombre que se hiciera estimar mucho, como lo prueba el que no hizo el menor caso de lo que ella le había dicho.

En este sentido ante su ejemplo, muchas mujeres cristianas pueden quedar avergonzadas, pues la responsabilidad de sus esposos es algo que ni les pasa por la cabeza. Una esposa puede influir para bien en un marido y si deja de hacerlo, rehuye su deber y el ejercicio de una de sus mejores prerrogativas. Para muchos la esposa ocupa el lugar que antes ocupaban los ángeles. Por desgracia muchos maridos actúan todavía de la misma forma que Pilato con respecto a su esposa. En estos casos la bondad de la esposa aumenta la maldad de su corazón. «Amontonan ascuas de fuego sobre su cabeza.»

PREGUNTAS SUGERIDAS PARA ESTUDIO Y DISCUSION

1. ¿Qué tipo de personaje era Pilato como marido y como gobernante?
2. ¿Era su esposa una verdadera ayuda para su marido? ¿Por qué?
3. ¿Qué pueden aprender las mujeres cristianas de esta meditación? ¿Qué deberían aprender los hombres?

HERODIAS

Ella salió y le dijo a su madre: ¿Qué pediré? Y ella contestó: La cabeza de Juan el Bautista.

(Marcos 6:24)

LEASE MARCOS 6:14-21

Herodias era de Edom, descendiente de Esaú. Herodias era en realidad la mujer del hermano de Herodes, Felipe, un príncipe, pero que había sido desheredado por su padre. Felipe y Herodias vivían en Roma. Como resultado de una visita de Herodes a Roma durante la cual se hospedó en casa de su hermano, Felipe se vio privado de su esposa. Herodias le abandonó para irse con Herodes. Pero, Herodes también era casado con una princesa de Arabia, lo cual era otro obstáculo al matrimonio de los dos.

Herodes rechazó a su esposa. Herodias entró en el palacio como reina. Sólo un hombre se atrevió a protestar públicamente de toda esta inmoralidad: Juan el Bautista. Herodes lo mandó encerrar y es de suponer que, por temor a malquistarse con el pueblo prefirió dejarlo en vida. Herodes era capaz de cualquier crimen, pero era taimado y probablemente supersticioso. No le cabía duda que Juan era un profeta.

43

Herodías no tenía escrúpulos y sabía perfectamente que su peor enemigo era Juan el Bautista. En tanto el viviera su situación como favorita estaba en peligro. Siempre cabía la posibilidad de que Juan imfluyera en Herodes de modo desfavorable para ella.

La ambición de Herodias carecía de límites. Lo mismo su orgullo. Habría urdido toda clase de planes para librarse de Juan. Por fin se presentó la ocasión perfecta. Herodes se había puesto en una trampa de la que no pudo escapar. La hija de Herodías, a instigación de su madre pidió, como recompensa de haber danzado de forma que solivintó las pasiones de aquel viejo zorro, la cabeza de Juan. Juan fue degollado.

Herodías era para Herodes algo semejante a lo que Jezabel era para Acab. En ambos casos la mujer tenía aún menos escrúpulos que el marido. Jezabel odiaba a Elías; Herodías a Juan. Sólo el final de la historia es distinto. Jezabel pereció sin consumar su venganza sobre Elías. Juan sucumbió en manos de Herodías.

El corazón de una mujer decidida al mal no se queda atrás respecto al corazón de un hombre. Cuando se entrega al pecado, pasa a ser un instrumento de Satanás con no menos perfidia y bajeza. Hoy no suelen ocurrir dramas de semejante violencia, por lo menos en los medios habituales en que transcurren nuestras vidas. Sin embargo no es menos verdad que la influencia de una mujer puede ser seguida y descubierta en la conducta de muchos hombres de responsabilidad. La historia nos presenta numerosos ejemplos de mujeres de este tipo que dieron lugar a persecuciones religiosas crueles e incontables víctimas. Basta con que recordemos los casos de Fernando I el Católico de España y Luis XIV, en Francia, cuyas esposas Isabel y Mme. de Maintenon, respectivamente, dieron lugar a la Inquisición en España y a la Revocación del Edicto de Nantes, en Francia. Ambas decisiones causaron millares de víctimas entre los judíos conversos y los protestantes o reformados en España y entre los hugonotes en Francia.

PREGUNTAS SUGERIDAS PARA ESTUDIO Y DISCUSION

1. ¿Cuál fue el primer acto pecaminoso cometido por Herodes y Herodías juntamente?
2. ¿Qué nuevos actos del mismo tipo cometieron los dos después?
3. ¿Qué pasión instigó a Herodías para cometer estos actos?

LA MUJER PECADORA ARREPENTIDA

En esto, una mujer pecadora pública que había en la ciudad, enterada de que él estaba a la mesa en la casa de fariseo, trajo un frasco de alabastro con perfume.

(Lucas 7:37)

LEASE LUCAS 7:36-50

Ungir los pies o la cabeza de otra persona era una forma más bien común de dar la bienvenida u honrar a otro en Israel. Los rabinos más prominentes recibían homenaje en la práctica de besar los pies, costumbre de la que queda una sombra en las fórmulas de cortesía oficial, de tiempos no muy remotos, en algunas culturas mediterráneas. Por esta razón no es sorprendente que Jesús recibiera este homenaje más de una vez en su vida, y los evangelios registran dos casos de ello. En este caso se trata de una mujer pecadora. No tenemos derecho a pensar que pueda tratarse de María Magdalena, como a veces se ha hecho, pues no sabemos nada en sus antecedentes que pueda hacernos pensar que era una mujer pública. La segunda ocasión tuvo lugar en Betania, en casa de Lázaro, poco antes de que Jesús fuera arrestado.

La mujer de que se trata ahora era una ramera, probablemente establecida en Naín. Era una figura despreciada en los círculos correctos, y podemos imaginarnos el desagrado de Simón, el fariseo que había invitado a Jesús a su casa, al verla aparecer en la puerta. Es evidente que la mujer habría oído hablar a Jesús y sus palabras habrían penetrado en su corazón y como resultado de ellas habría decidido cambiar su modo de vida. Al entrar en casa de Simón, sacó un frasco de alabastro con perfume «y colocándose detrás de Jesús, junto a sus pies (comían recostados) se echó a llorar y comenzó a regar con sus lágrimas los pies de él, y a enjugarlos con los cabellos de su cabeza; y besaba afectuosamente sus pies, y los ungía con el perfume». Estas son las palabras del Evangelio.

Toda la escena y la conversación que tuvo lugar luego entre Jesús y Simón es para nosotros sorprendente. Se confirma en esta escena, lo que ya había ocurrido en otras ocasiones, que Jesús recriminara a la buena sociedad de Jerusalén: «Los publicanos y las rameras entran en el reino de Dios antes que vosotros.» Simón había recibido más bien fríamente a Jesús, cosa que el Maestro subrayó bien claramente en su comentario. Esto no es difícil de entender, pero la cosa va más adelante: Sigamos: «Quedan perdonados sus pecados, que son muchos; por eso muestra mucho amor; pero aquel a quien se le perdona poco, ama poco.» Recordemos que antes le había presentado a Simón la parábola de los dos deudores, en que, se supone que el que tenía mayor deuda ama más a su amo, una vez éste ha perdonado a los dos. Jesús explica que el mayor amor de la mujer es debido a que se le ha perdonado más. A nosotros este concepto nos parece un poco precario, pero hemos de aceptar el juicio del Salvador en esta materia. Al final, la mujer despreciada por todos, fue exaltada por Jesús sobre Simón, el ciudadano respetado por todos.

La mujer tenía un carácter ardoroso y afectivo. Dio suelta a sus emociones sobre los pies de Jesús, regándolos con lágrimas y enjugándolos con su cabello.

Jesús comenta estas cosas y las elogia, en contraste con la fría cortesía de Simón. Dios puede usar personas capaces de sentir ardiente simpatía, como esta mujer. Primero tiene que purificarla y santificarla. Pero estas personas son más receptivas a la gracia y el amor, y la fe se desarrollan en ellos más fácilmente.

El mensaje supremo de este caso, es sin embargo que Dios elige pecadores de todos los tipos y que, ante sus ojos, nuestras gradaciones de pecado o respetabilidad no son muy importantes. Nadie puede jactarse de ser mucho mejor que esta pobre mujer a quien Jesús enalteció para humillarnos a nosotros.

PREGUNTAS SUGERIDAS PARA ESTUDIO Y DISCUSION

1. ¿Por qué se nos dice que esta mujer era «pecadora»?
2. ¿Cómo reveló su amor a Cristo? ¿Cómo aceptó Jesús su confesión y arrepentimiento?
3. ¿Qué nos revela a nosotros, como pecadores, este incidente?

LAS CRIADAS DE CAIFAS

Pedro estaba sentado fuera en el patio, y se le acercó una criada, y le dijo: Tú también estabas con Jesús el galileo.

(Mateo 26:69)

LEASE MATEO 26:56-75

Aunque no se nos dan los nombres, se nos habla de dos criadas en la casa de Caifás el sumo sacerdote. Las dos coinciden de delatar a Pedro, como uno de los seguidores del hombre a quien estaban juzgando su amo y los otros sacerdotes.

Hagámonos cargo de la situación. Era la madrugada, oscuro aún. El gallo no había cantado. La casa estaba llena de gente. El juicio de Jesús se estaba celebrando ante el Sanedrin, que se había congregado de urgencia.

Las criadas probablemente no se habían retirado para poder atender el fuego en el patio. Se daban cuenta de la importancia de aquel juicio, y de lo grave de las acusaciones del encartado. No sabemos exactamente por qué y en qué forma, pero las dos coincidieron en notar la presencia de Pedro, extraño totalmente en aquel ambiente, y probablemente nervioso e inquieto ante el curso de los sucesos. Para las criadas no se trataba probablemente más que de una diversión, el causar un sofoco a aquel hombre, haciéndole burla y poniendo de manifiesto lo que él procuraba esconder: su relación con el acusado.

Pedro reaccionó vivamente. Al verse descubierto en un ambiente peligroso, negó rotundamente que tuviera nada que ver con Jesús, con juramentos y maldiciones. Pedro cometió el pecado más grave de su vida. Podemos suponer que las criadas se divirtieron con todo ello, indiferentes a las desastrosas consecuencias para Pedro que pronto se retiró a llorar amargamente su culpa.

Es posible que las criadas disfrutaran al poder contribuir en esta forma al ambiente de violencia y venganza. Esto las dejaba participar. Quizá no fue nada más que vanidad, la vanidad que puede aplastar los impulsos nobles, incluso, si es que existen. No sabemos si este era el caso. Probablemente les divirtió el ver el azoramiento de Pedro y su pérdida total de control.

Las criadas no se darían cuenta de su propio pecado. Para ellas todo se terminaría con unas cuantas risitas y chismorreo junto con los otros sirvientes de la casa. Probablemente se felicitarían de su éxito. Toda palabra liviana es pecado. Lo son los chismes y las risitas cuando son maliciosas. Todos hemos conocido estos tipos que se deleitan en poner a otros en un mal paso por mera diversión. No piensan en las heridas que inflingen y el daño que causan.

PREGUNTAS SUGERIDAS PARA ESTUDIO Y DISCUSION

1. ¿Por qué las dos criadas ridiculizaron a Pedro?
2. ¿A qué pecado indujeron a Pedro las palabras de las criadas?
3. ¿Qué nos dice este incidente en cuanto a la consideración a los otros, de palabras y de hechos?

SAFIRA

Pero cierto hombre llamado Ananías, con Safira su mujer, vendió una heredad, y se quedó con parte del precio, sabiéndolo también su mujer.

(Hechos 5:1, 2)

LEASE HECHOS 5:1-11

Dios castigó a Safira con la muerte por haber colaborado con su esposo en un acto fraudulento. Lo ocurrido no parece que debería haber dado lugar a un resultado tan trágico. Vamos a considerar los hechos en conjunto.

Ananías y Safira, los dos se habían segregado del judaísmo y se habían adherido a los seguidores de Jesús. No eran meramente simpatizantes: vendieron una propiedad suya y entregaron a los apóstoles una buena parte de la venta, para beneficencia o necesidades de los apóstoles y la predicación. ¿Cómo pudo dar lugar a un castigo tan grave un acto de generosidad?

En la Iglesia de Jerusalén habíase formado un espíritu de cooperación extrema, que afectaba incluso a la entrega de las posesiones personales, para ministrar a las necesidades de los santos. Muchos vendían sus propiedades, casas, campos y entregaban el pro-

51

ducto a los apóstoles. No es infrecuente al principio de movimientos o avivamientos que los seguidores muestren gran entusiasmo.

Es posible que Ananías y Safira eran bien conocidos, y también lo era el hecho de que tenían una propiedad. El retenerla, cuando los demás vendían las suyas, podía producir la impresión de egoísmo ante los demás fieles. Ananías y Safira querían asegurarse de mantener las apariencias y su reputación de piedad. Decidieron pues, vender la propiedad. Una vez vendida, de común acuerdo decidieron que, sin menoscabo para su reputación, iban a retener parte del producto de la venta. Es posible que no retuvieran mucho, pues de otro modo la discrepancia se habría hecho evidente.

Lo que vemos aquí esencialmente es que su acción no era motivada espiritualmente. Y al dar la apariencia de que entregaban todo lo obtenido de la venta, la acción adquiría el carácter de fraude a los ojos de los apóstoles, y una mentira ante los ojos de Dios. Era un verdadero sacrilegio.

No sabemos si Pedro se enteró del precio indirectamente o si le fue revelado por Dios. Pero su acusación fue fulminante: «¿No podías retenerlo todo para ti siendo tuya la propiedad? La mentira no es a los hombres sino a Dios que la has dicho.» Ananías expiró al oír estas palabras. A las tres horas más o menos, apareció Safira y cuando Pedro le preguntó a qué precio habían vendido la heredad; Safira, que se había puesto de acuerdo con su esposo, repitió la mentira. Safira «cayó a los pies de Pedro y expiró».

PREGUNTAS SUGERIDAS PARA ESTUDIO Y DISCUSION

1. ¿Qué acción benéfica decidieron hacer Ananías y Safira?
2. ¿En qué forma frustró el diablo sus planes?
3. ¿En qué forma fue castigado este fraude?

MARIA DE JERUSALEN

Y habiendo reflexionado así, llegó a casa de María la madre de Juan, el que tenía por sobrenombre Marcos, donde muchos estaban reunidos orando.

(Hechos 12:12)

LEASE HECHOS 12:1-12

María de Jerusalén era una viuda rica. Lo sabemos porque era propietaria de una casa bastante grande para que cupiera en ella toda la congregación. Y porque la casa tenía un gran portal, por lo que podemos suponer que era una de las casas notables de Jerusalén. Tenía también criadas, de las cuales se nombra una, Rode, que fue a abrir la puerta a Pedro.

Esta María se había unido al servicio del Señor muy pronto. Su hijo, Juan Marcos se había hecho ministro de la Palabra, y acompañó a Pablo en uno de sus viajes. Es también el autor de uno de los Evangelios, el de Marcos. Pero, vamos a ver a lo que las Escrituras nos dicen de ella. La congregación se reunía en su casa de modo regular durante los días de la persecución de Herodes Agripa, que echó a los cristianos del Templo, donde se reunían antes. Entonces

María les abrió la puerta de su casa. Pedro se dirigió allá inmediatamente que salió de la cárcel.

María tiene interés para nosotros en el hecho que no se limitó a entregar su óbolo para la obra en las colectas de la iglesia, sino que poseyendo una casa espaciosa, la puso toda ella a disposición de la congregación. No es raro que haya personas de edad, quizá viudas, cuyos hijos ya han salido de la casa y están esparcidos, que posean casas grandes y espaciosas. Antes llenas de vida, ahora hay en ellas numerosas habitaciones vacías y sin vida. ¿No podrían animarse otra vez con reuniones, grupos de meditación, de oración, o para cantar salmos e himnos de modo más o menos regular. Con ello además se aliviaría el silencio y la soledad de la casa y de sus dueños.

En algunos puntos es posible incluso que haya congregaciones en estado de formación, que no dispongan todavía de un local propio. No se trata de alquilar unas habitaciones para este propósito, sino de poner la casa a disposición para el Señor.

María lo hizo y además las sirvientas se hacían cargo de ayudar en lo posible. Vemos que Rode abre la puerta a Pedro, y de gozo no sabía que se hacía. Sin duda la sirvienta era también cristiana. Toda la atmósfera de esta casa era propicia para ayudar al crecimiento de la obra del Señor. Deberíamos tener Marías hoy que ofrecieran sus casas para la obra.

PREGUNTAS SUGERIDAS PARA ESTUDIO Y DISCUSION

1. ¿Cuál de los cuatro evangelistas era hijo de María?
2. ¿En qué forma específica ayudó María a la congregación de Jerusalén?
3. ¿Qué significado particular tiene este mensaje?

RODE

Cuando Pedro llamó a la puerta del patio, salió a escuchar una muchacha llamada Rode.

LEASE HECHOS 12:13-35

No se nos dice mucho de Rode, pero algunos rasgos de su carácter se hacen evidentes en su breve aparición en el libro de los Hechos. Era una de las criadas de María, la madre de Marcos, y vivía en la casa de ellos, en Jerusalén. El incidente en que aparece es el acto de abrir la puerta a Pedro cuando éste había salido milagrosamente de la cárcel. Hay tres cosas destacables:

Primero es que Rode se había adherido a la misma fe de su señor. La pequeña contregación se reunía en la casa de María. Era ya más tarde de la medianoche. Estaban juntos orando en favor de Pedro que estaba en la cárcel. Rode participaba plenamente en la vida de aquella casa, no se limitaba a recibir manutención y salario. Creía en el mismo Dios de María y compartía sus goces y sus penas. Era una criada ideal; servía a su señora y a la Iglesia de Dios.

Servía también con diligencia. Estaba destacada a la puerta, separada de la casa por un patio o vestíbulo. De buena gana Rode habría estado dentro con los otros en la oración y la conversación. Sin embargo, vigilaba en la puerta. Se daba cuenta que era mejor cumplir con su deber que dedicarse a ejercicios más piadosos dentro.

Finalmente, el tercer rasgo que vemos en Rode es su naturaleza exuberante. Lo demuestra la forma como se comportó cuando Pedro anunció su llegada con unos recios aldabonazos. Al reconocer la voz de Pedro, «de gozo no abrió la puerta, sino que corrió adentro a anunciar que Pedro estaba a la puerta.» Es posible que interrumpiera la oración de alguno, o un mensaje, pero no tuvo inconveniente en hacerlo. Los de dentro al ver su alborozo y sus gritos, probablemente medio incoherentes, pues estaba embargada por la emoción, le dijeron que estaba loca. Sólo después fue a abrir y tardaría bastante, pues se nos dice que, «Pedro continuaba llamando». Rode era una muchacha espontánea, con la emoción a flor de piel, llena de entusiasmo, y leal a la causa.

PREGUNTAS SUGERIDAS PARA ESTUDIO Y DISCUSION

1. ¿Trabajaba Rode meramente por su salario?
2. ¿Cómo ejecutaba sus deberes?
3. ¿Qué espíritu saturaba su obra? ¿Qué significaba Rode para nosotros?

DORCAS O TABITA

Había entonces en Jope una discípula llamada Tabita,
que traducido quiere decir Dorcas. Esta abundaba en
buenas obras y en limosnas que hacía.

(Hechos 9:36)

LEASE HECHOS 9:36-42

El nombre de la mujer era Tabita. Dorcas es una traducción hebrea. Tabita, en griego, significa «gacela». «Esta mujer abundaba en buenas obras y en limosnas que hacía.» Se dedicaba a coser vestidos y túnicas para los pobres. Esta costumbre ha sido imitada más adelante y en la Iglesia Cristiana de nuestros tiempos incluso su nombre ha presidido el de Sociedades de Señoras, que se han dedicado a la beneficiencia. Parece ser que fue la primera, (por lo menos de la que tenemos conocimiento) que se dedicó a estos actos de amor, inspirada por Cristo. Su ejemplo ha sido una fuente de inspiración constante para las buenas obras. La Iglesia ha mostrado en innumerables ocasiones este espíritu de amor hacia los pobres, especialmente en el pasado cuando no había la menor forma de auxilio social de entidades seculares o de las autoridades.

Tabita puso en acción las palabras de Jesús: «Estuve desnudo y me cubristeis.» Originó un movimiento de amor que ha perdurado durante diecinueve siglos. La Iglesia Cristiana ha mitiado infinitos sufrimientos. En tiempos pasados y en países no cristianos, la suerte de los humildes fue siempre cruel e inmisericorde.

Cuando Pedro fue a Jope se encontró al llegar que Tabita acababa de morir. La habían lavado y puesto en la estancia superior, y allí llorando, llevaron a Pedro, y le rodearon las viudas mostrándole las prendas en que todas ellas se ocupaban. La falta de Tabita iba a ser irremediable. Pedro se puso de rodillas, oró, y poco después se la volvió a presentar viva. Tabita pudo continuar su ministerio benéfico.

Tabita es una expresión del amor cristiano transformado en hechos. Apela a la acción de las mujeres que, por su edad, o su posición, o circunstancias, no tienen ninguna otra vocación específica. Nos enseña que la pobreza puede ser mitigada efectivamente en el nombre de Jesús.

PREGUNTAS SUGERIDAS PARA ESTUDIO Y DISCUSION

1. ¿Por qué las sociedades femeninas toman muchas veces el nombre de Dorcas?
2. ¿Cómo se puede caracterizar a Dorcas?
3. ¿Aparece Dorcas como poseyendo «fe salvadora»? ¿Es esto típico de las sociedades a las que se suele dar este nombre hoy?

MARIA DE ROMA

Saludad a María, la cual ha trabajado mucho por vosotros.

(Romanos 16:6)

Al terminar su carta a la iglesia de Roma Pablo envía sus saludos apostólicos a veinte personas, a las cuales menciona por sus nombres. Entre ellas se encuentra una mujer romana a la que llama María, posiblemente un nombre adoptado en el momento del bautismo. Pablo dice de ella: «Saludad a María, la cual ha trabajado mucho por vosotros. Más adelante (v. 12) dice: «Saludad a la amada Pérsida, la cual ha trabajado mucho en el Señor.»

Algunos teólogos han conjeturado por estas afirmaciones que las dos eran evangelistas, empleadas en la diseminación directa del evangelio a través de contacto personal, algo así como lo que hacen algunas mujeres dentro del Ejército de Salvación. Otros consideran que lo que hicieron fue extender hospitalidad a otros que eran los que propagaban el Evangelio.

La forma de expresarse Pablo nos hace pensar que

hacían más que esto, aunque no sabemos exactamente qué. No es probable que fueran diaconisas, en el sentido que damos ahora a la palabra, pues Pablo probablemente lo habría indicado. No es probable que predicaran directamente en público, pues de haberlo hecho es dudoso que Pablo lo hubiera considerado digno de elogio.

Como sea, y aunque no podemos especificar el tipo de actividad a que se dedicaban, esto no nos hace dudar de la eficacia de su labor, elogiada por Pablo. Una mujer, cualquiera que sea su estado en la vida tiene numerosas oportunidades para ayudar a la causa de Cristo.

En aquellos tiempos (y hoy) podía ayudar a través del marido, o las personas asociadas con él, sobre sus hijos o las familias de los amigos de sus hijos. En los tiempos de la Iglesia de Roma, había muchos problemas que nosotros no conocemos. Esposas cristianas frustradas porque sus maridos permanecían paganos. Esclavos convertidos (o quizá sirvientes) que se veían obligados a servir en casas paganas. Hijos cuyos padres le prohibían bautizarse. En muchas casas no dejaban entrar a nadie que hubiera podido propagar el evangelio. Como sea, una mujer tenía numerosas oportunidades para servir.

El servicio de María de Roma es posible que fuera distinto del de cualquiera de las otras Marías que hemos visto, pero con todo era de suma utilidad para la congregación de Dios. Y al revés, una forma de servir, es evitar que la influencia personal pueda causar detrimento a la causa de Cristo. Este es el caso de la mujer chismosa o intrigante.

La mujer, incluso cuando su ocupación principal es el hogar y los hijos, por tener sobre sí estas responsabilidades, no tiene por qué limitarse a ello y cortar todo contacto con el mundo. Hay numerosas ocasiones en que puede servir al Señor con su ingenio y energía.

PREGUNTAS SUGERIDAS PARA ESTUDIO
Y DISCUSION

1. ¿Eran María y Persida evangelistas?
2. ¿Qué hicieron estas mujeres que Pablo comentó con elogio?
3. ¿Cuáles son las seis Marías mencionadas en el Nuevo Testamento?

LOIDA

Trayendo a la memoria la fe no fingida que hay en ti, la cual habitó primero en tu abuela Loida, y en tu madre Eunice, y estoy seguro en ti también.

(2.ª Timoteo 1:5)

Loida tiene el honroso papel de la «abuela» en las Escrituras. En ella se nos revela la gran importancia de una abuela en la familia. Representa, entre las mujeres de la Biblia, la influencia espiritual única que resulta de su peculiar posición.

Es indudable que Loida había sido creyente. Parece que cuando Pablo envió su segunda carta a Timoteo ya había fallecido. Se nos habla de la fe no fingida que «habitó primero en tu abuela Loida». Lo que nos interesa hacer resaltar aquí es que esta fe no había sido enterrada con ella, sino que había pasado a su hija Eunice, y después, al nieto, Timoteo. Vemos pues, tres eslabones de una cadena espiritual. Una relación espiritual paralela a la relación de la sangre. A los lazos de la sangre se añaden los lazos de la fe. Es Dios quien da la fe, pero como vemos frecuentemente, este hecho ocurre con frecuencia como resultado del Pacto de gracia. Aunque hay excepciones, es más corriente que aparezca en el seno de una familia cristiana que en una familia pagana.

La regla, y no la excepción, es que los elegidos aparezcan en las familias en que hay una tradición cristiana, especialmente cuando la madre y la abuela han pertenecido al Señor. La gracia, reflejada en el bautismo, satura toda la educación en un ambiente cristiano. Tiende a hacerse una tradición familiar. De ahí vemos que Pablo recuerde con amor a Loida y a Eunice.

Los servicios que una madre puede ejercer para que el nieto nazca y crezca en la gracia son más destacados cuando falta el eslabón intermedio: cuando la madre no es creyente. Pero, incluso cuando lo es la abuela tiene abundantes oportunidades, tanto cuando los hijos están todavía en la casa, como cuando han salido de ella. La madre está muchas veces más ocupada y fatigada. La vida de la abuela transcurre de modo más pacífico; su cara revela su mayor calma y paz. Y cuando los nietos entran en su esfera de influencia puede estampar en ellos la fe a través de su ejemplo y admonición. En este sentido la abuela puede ser, en algunos casos más eficiente aún que la madre, más activa y con menos experiencia. La abuela no debe ser dominadora de los nietos. Al contrario puede dar a nietos e hijos la bendición única que una persona madura y con experiencia espiritual puede proporcionar.

PREGUNTAS SUGERIDAS PARA ESTUDIO Y DISCUSION

1. ¿Contribuyó la influencia de la vida de Loida a la salvación de Timoteo?
2. ¿Recibió Timoteo su fe de Eunice?
3. ¿Qué lección aprendemos de la relación entre Loida, Eunice y Timoteo?

EUNICE

Trayendo a la memoria la fe no fingida que hay en ti, la cual habitó primero en tu abuela Loida, y en tu madre Eunice, y estoy seguro que en ti también.

(2.ª Timoteo 1:5)

LEASE 2.ª TIMOTEO 1

En la familia de Timoteo reinaba la tradición cristiana. Conocemos nombres en tres generaciones. Detrás de Timoteo hay Eunice, y detrás de ésta, Loida. Los tres manifiestan una «fe no fingida», que ha pasado de uno a otro. La fe no es impartida por los padres sino que procede de Dios. Pero Dios se complace en permitir que su bendición se acreciente en las sucesivas generaciones, imprimiendo el valor de lo que permanece y el conocimiento de ser llamado, dentro de la familia, para glorificar el nombre del Señor.

Ni Loida ni Eunice podían haberse imaginado que Timoteo iba a ser llamado a un lugar de tanta prominencia en la Iglesia de Cristo. A Pablo esta especie de nobilidad espiritual, que va de una generación a otra, como israelita, le parece especialmente hermosa. Se goza al contemplarla. Pero nos habla de ello por algo más: quiere llamar nuestra atención a lo realizado por la madre, la forma en que Dios la usó, a ella y a Loida, para inspirar la fe ferviente y real en Timoteo.

Pablo viene a decirnos que el hecho que Timoteo fuera criado bajo la influencia de la gracia es motivo en sí para dar gracias a Dios. La salvación puede tener lugar a cualquier edad, incluso a edad muy avanzada, pero el llegar lejos en el conocimiento de Dios suele ser más seguro cuando el niño ha sido criado dentro de las Escrituras. El corazón, espíritu y conciencia del niño es más tierno y en él se hunden de modo indeleble las enseñanzas. Cuando han sido imprimidas con eficacia difícilmente se borran más adelante. Timoteo tuvo un inmenso privilegio al poder ser educado desde la niñez en el camino del Señor. Para él, el conocimiento de la Escritura y el contenido de la fe fue vívidamente real. No eran un mero barniz formal, sino que habían crecido y se habían hecho una posesión inseparable de su propia vida y conciencia.

Timoteo le debía esto a su madre, como Agustín se lo debía a su madre Mónica. Este es el privilegio de algunos hijos de madres cristianas, pero no de todas. Algunos hijos de madres cristianas, convertidos luego, han dicho que no habían recibido la más mínima bendición de su madre. Pero en otras ocasiones la madre inspira de modo permanente la vida del hijo y éste conserva siempre sagrados recuerdos de ella. Es algo glorioso que unifica a los dos espiritualmente. La ternura del amor materno es santificada por el amor de Cristo; el amor maternal potencia el ferviente anhelo de la madre de que el hijo sea del Salvador. La madre no descansa hasta que de un modo u otro, leyendo historias de la Biblia, dando consejos, ejemplo, estímulo, como sea, le induce a abrir su corazón al Salvador que se le está revelando por aquellos medios.

Nos lamentamos hoy del hecho que muchos hijos madurso se apartan de la fe. Pero al hacerlo hemos de preguntarnos dónde están las Eunices, cuya intensidad espiritual se ha contagiado al hijo. El padre sin duda tiene su responsabilidad, y su carácter, con frecuencia más fuerte, ha de guiar también al hijo en el hogar. Pero, aun cuando se ejerce la influencia del padre, la tierna actividad espiritual de la madre, su vida fiel, piadosa y de oración es la roturación del terreno que permite recibir la semilla en un blando seno. Las madres deben empezar su actividad en los niños cuando son muy jóvenes. No basta con educar al hijo a comportarse con modales, cuidarlos e instruirlos con rectitud. Hay que conducirlos a entrar en los misterios de la Divinidad.

PREGUNTAS SUGERIDAS PARA ESTUDIO Y DISCUSION

1. ¿Da valor Pablo a la educación en la casa de Timoteo?
2. ¿Estamos haciendo bastante énfasis en la necesidad de que el niño sea educado en el hogar?
3. ¿Qué lección da la vida de Eunice a las madres de hoy?

LIDIA

Entonces una mujer llamada Lidia, vendedora de púrpura, de la ciudad de Tiatira, que adoraba a Dios, estaba oyendo; y el Señor abrió su corazón para que estuviese atenta a lo que Pablo hablaba.

(Hechos 16:14)

LEASE HECHOS 16:14-40

Lidia procedía de la ciudad de Tiatira, pero cuando conoció a Pablo residía en Filipos. Era dueña de una tienda en que se vendían vestidos teñidos de púrpura. Es evidente que vendía no sólo púrpura, sino muchos otros artículos. Debe de haber estado en buena posición y viviría en una casa espaciosa, en la que podía acomodar a Pablo y a Silas y a otros que les acompañaran.

No sabemos si era de estirpe judía. En todo caso se había convertido al Dios de Israel, porque los sábados se juntaba con otras mujeres judías en el lugar de oración acostumbrado. Este lugar no era la sinagoga, pues en aquel entonces no había ninguna en Filipos. En lugares donde no había sinagogas los judíos se reunían fuera de la ciudad en un prado o lugar con sombra. No se celebraba el servicio regular judío sino meramente se congregaban para orar. En Filipos había un lugar con sombra a la orilla del río que servía para este propósito. Este río al presente se llama Maritza. Hay una islita que divide al río en dos cauces, y es un lugar de agradable apariencia. Se suele indicar el lugar en que tuvo el encuentro, pero estas tradiciones son en el mejor de los casos dudosas. Sentada Lidia con las otras mujeres, Pablo y Silas fueron al lugar, y «se pusieron a hablarles a las mujeres allí congregadas». Les hablaron, naturalmente, de Jesús de Nazaret.

Parece que no tuvo mucha aceptación su predicación, con la excepción de Lidia, «cuyo corazón abrió el Señor para que estuviese atenta a lo que Pablo hablaba». Al parecer haría poco que Pablo había llegado a Filipos. Había esperado hasta el sábado para tener una audiencia. Lidia no abría la tienda en el día de sábado.

Lidia no se convirtió porque Pablo le predicó. Se convirtió porque su corazón fue abierto por el Señor. La gracia es la que abre el corazón. Todas las mujeres oyeron el mensaje. Para las otras resultó incomprensible o detestable. Para ella fue una llama que hizo arder su corazón. Lidia creyó.

Pablo y Silas no podían estar alojados con mucho confort en una posada pública. Solían ser frecuentadas por gentes de baja estofa. Lidia acostumbrada al trato del público, especialmente clases pudientes, con indudable don de gentes, no tuvo inconveniente de invitarles a hospedarse en su casa. No lo hizo como un servicio para ellos sino que «nos obligó a quedarnos» (v. 15). Parece que los que vivían en aquella casa (Lidia era posiblemente viuda o en todo caso no se menciona marido alguno) habrían compartido la fe de Lidia en el Mesías, porque confesaron a Cristo y fueron bautizados con ella.

Pablo y Silas se hospedaron allí unos días. Al poco hubo un motín por causa de una muchacha adivina, y Pablo y Silas fueron arrestados. Seguirían muchas horas de ansiedad para Lidia, al ver que Pablo no regresaba, y más cuando Lidia supo que él y Silas estaban en la cárcel. Podemos imaginar sus fervientes oraciones en favor de Pablo, a las que se unirían otros convertidos de Filipo, en su casa. Pero al fin se oyó un aldabonazo en la puerta y Pablo y Silas estaban allí librados milagrosamente, a causa de un terremoto.

Leemos que Pablo y Silas, «saliendo de la cárcel, entraron en casa de Lidia, y habiendo visto a los hermanos los consolaron y se fueron».

El recuerdo de Lidia y de lo que hizo por Pablo ha grabado en letras de amor su nombre en el corazón de los creyentes hasta el día de hoy.

PREGUNTAS SUGERIDAS PARA ESTUDIO Y DISCUSION

1. ¿Dónde vivía Lidia? ¿En qué se ocupaba?
2. ¿En qué clase de servicios tomaba parte Lidia cuando conoció a Pablo?
3. ¿Qué nos enseña la vida de Lidia?

PRISCILA

Saludad a Priscila y a Aquila, mis colaboradores en Cristo Jesús.

(Romanos 16:3)

LEASE HECHOS 18:2, 3, 26; ROMANOS 16:3; 1.ª CORINTIOS 16:19; 2.ª TIMOTEO 4:19

Prisca, como la llama Pablo con cariño en 2.ª Timoteo 4:19, o Priscila, era una mujer judía de la clase media. Su marido, Aquila, hacía como Pablo, tiendas de campaña de tela o lona. Este matrimonio eran originarios del Ponto, pero debido a su floreciente actividad, decidieron instalarse en Roma. De allí los sacó un edicto de Claudio que expulsó a todos los judíos de la ciudad. Fueron entonces a Corinto, una ciudad comercial de primer orden, donde conocieron al apóstol Pablo.

No sabemos nada respecto a la forma en que se puso Pablo en contacto con el matrimonio. A través de Hechos 18:2 sabemos que Pablo trabajó para ellos en el negocio de hacer tiendas. Pablo había aprendido el oficio y fue posiblemente en calidad de mero obrero, por lo menos a horas, y para ganarse la vida, que solicitó o aceptó este trabajo. Una vez en contacto con la familia no tardarían mucho la familia Aquila y Priscila en entrar a formar parte del redil del Señor.

Cabe la posibilidad que Aquila y Priscila se convirtieran primero, y luego invitaran a Pablo, que era soltero, a que se alojara en su casa, donde les ayudaría en su oficio hasta cierto punto. Es más que dudoso que un matrimonio tan inteligente (como veremos) y dedicado a la obra del Señor permitiera que Pablo pasara mucho tiempo cosiendo tiendas.

Sea como sea, fue en Éfeso que Priscila y Aquila abrieron su hogar para la obra del Evangelio, y que probablemente ellos mismos dirigían. La congregación se reunía en su casa (1.ª Corintios 16:19). La casa tenía que ser bastante grande para ofrecer cabida al conjunto de los convertidos. De paso destaquemos la lealtad y consagración de Aquila a la causa del Evangelio: no puso reparos a tener en su casa a un huésped y aun posiblemente fue ella que surigió la idea, y veía con buenos ojos que su hogar fuera el centro de un continuo ir y venir de personal los días de reunión, y posiblemente los demás días también.

Todo lo cual nos dice que Priscila no era meramente una mujer convertida, que había creído en el Evangelio con más o menos sentimiento e interés, pero siempre conservándolo como algo accesorio, que no estorbaba sus actividades, ni en los negocios ni en los medios sociales en que se movía. Para Priscila el Evangelio había penetrado la esencia de su ser y su vida estaba consagrada al mismo. Pablo se sentía verdaderamente en su casa cuando estaba en la de Priscila, y la compenetración con el matrimonio debía ser amplia e intensa, una fuente de refrigerio espiritual. Algo así como el hogar de Marta y María en Betania había llegado a ser para Jesús.

Por otra parte Priscila no se limitaba a escuchar sermones y ser amable y servicial a Pablo y a los hermanos. Era una mujer de gran inteligencia y que usaba sus dones en conformidad. Tenía que estar bien al corriente de las Escrituras judías y de los conceptos básicos de la religión de sus padres y así como de las nuevas doctrinas del Reino de Dios. y no sólo conocedora, sino también era capaz de enseñarlas a otros. Todo esto no es imaginación. Lo sabemos muy bien por un incidente que ocurrió en Efeso y que se refería a Apolos, un fogoso orador cristiano de aquel tiempo, que se menciona en Hechos, y que Pablo vuelve a mencionar otra vez en sus cartas (Léase Hechos 18:26).

Apolo era un cristiano bisoño, y a la vez un orador fácil. Había conocido a Cristo a través de los discípulos de Juan, pero no había penetrado a fondo en la doctrina de la religión cristiana. Estando en Efeso habló a la congregación que se reunía en la casa de Aquila y Priscila. Se nos dice escuetamente que «habló con denuedo», por lo cual hemos de entender con estilo grandilocuente y florido, sin mucho contenido de doctrina, y probablemente con mucha confusión y tergiversando los conceptos. Con gran discreción, Aquila y su esposa, Priscila, evitaron controversias o reprensiones públicas, o réplicas, a las cuales somos tal aficionados los creyentes, especialmente cuando falta caridad e inteligencia, y «tomándole aparte le expusieron más exactamente el camino de Dios».

Hay que darse buena cuenta del significado de esto. Priscila y Aquila aleccionan a un predicador bien conocido y famoso en los medios cristianos porque su mensaje era hueco y superficial. A través de ellos Apolos, «varón elocuente, poderoso en las escrituras» volvió a ser «instruido en el Señor» y sacaría provecho de la lección, pues Pablo le tiene en mucha consideración.

Todo esto nos dice que cuando una mujer, como Priscila ha recibido dones del Señor más allá de las meras actividades domésticas, o dones de servicio y misericordia, actos a los que luego se han visto, durante siglos, limitadas de modo general las mujeres, por características sociales y culturales deplorables, según nos muestra la Palabra del Señor deben emplearlas a fondo, y cumplir su vocación en la esfera a las que se sientan llamadas. Ojalá hubiera muchas mujeres así en nuestras congregaciones, capaces de enderezar el camino a muchos Apolos elocuentes y huecos que no han alcanzado un nivel suficiente de fe y penetración en la doctrina y la práctica del Evangelio. Cuando el Señor en su soberana sabiduría reparte sus mejores dones a una mujer, el que sea casada y ama de casa, como Priscila, no debe constituir el menor obstáculo para que se levante a la altura de su fe y su capacidad intelectual, y sirva en cualquier posición de responsabilidad en el reino de Dios.

Este es el ejemplo que nos da Priscila. El matrimonio regresó luego a Roma. Donde la tradición nos dice que Priscila murió como mártir de la fe. No lo sabemos de cierto, pero de lo que no cabe duda es que su vida fue siempre un ejemplo de sacrificio personal, de consagración, firmeza y enseñanza doctrinal en favor de la causa de Cristo para cuantos la rodeaban y para nosotros.

PREGUNTAS SUGERIDAS PARA ESTUDIO Y DICUSION

1. ¿Cómo se conocieron Aquila y Priscila con el apóstol Pablo?
2. ¿Estaba Priscila bien fundada en la fe?
3. ¿Tiene que limitarse la mujer a cuidar y educar a sus hijos en el temor del Señor como única capacidad en que puede servir a la causa del Evangelio? ¿Qué conclusiones tenemos que sacar de la vida de Priscila respecto a este punto tan debatido?

DRUSILA

Algunos días después, viniendo Félix con Drusila su mujer, que era judía, llamó a Pablo, y le oyó acerca de la fe de Jesucristo.

(Hechos 24:24)

Drusila era de Edom. Era la hija del rey idumeo Herodes Agripa y había nacido en el año 34 D. de J. Como los suyos, Drusila profesaba la religión judía. Cuando oyó a Pablo en Cesarea aún no tenía veinte años, a pesar de que ya habían ocurrido muchas cosas en su vida. Era famosa por su hermosura. A los dieciseis años se había casado con el príncipe Azizo, rey de Emesa. Pero, el gobernador romano Félix la conoció en un festival en la corte, y se interesó en ella. Cuando Félix envió a Drusila un nigromante judío, Simón, con una invitación personal, Drusila abandonó quietamente la corte de Azizo y se dirigió a Cesarea, donde se casó con Félix. Ante la ley judía evidentemente el matrimonio era ilegal. Drusila no tuvo inconveniente en aparecer en público como la esposa de Félix. Azizo tuvo que aguantarse, simplemente.

Drusila llevaba un año viviendo con el gobernador romano cuando Pablo llegó a Cesarea en circunstancias que pueden leerse en el capítulo 23 de Hechos. Es posible que cuando Pablo fue llamado ante el tribunal de Félix, para responder a las acusaciones de los judíos, capitaneados por Tértulo, Drusila se hallara presente en la sala, si bien no hallamos confirmación de esto en el libro de Hechos. Pero si hallamos allí que a los pocos días, Félix y Drusila, los dos conversaron en privado con él respecto a la fe de Cristo.

No sabemos exactamente qué ideas se cambiaron en esta conversación, pero no parece improbable que Pablo aprovechara la ocasión para dejar claro en oídos de Drusila, que de nombre por lo menos todavía era judía de religión, cuáles eran los requerimientos éticos de la ley mosaica y las consecuencias de su infracción. Este se evidencia en el versículo 25, donde se nos dice que Pablo disertó sobre «la justicia, el dominio propio y el juicio venidero», en términos tales que el nuevo esposo de Drusila, Félix», «se aterrorizó y dijo: «Vete por ahora; pero cuando tenga oportunidad te llamaré.»

Es probable que Drusila se burlara de Pablo y de sus ideas sobre el dominio propio y la justicia. No sabemos nada más de Drusila por la Biblia, pero este mismo hecho parece indicar que su conciencia no quedó afectada muy profundamente, y en todo caso su conducta no lo mostró. Josefo, el historiador judío, nos cuenta que Drusila murió en la erupción del Vesubio que sepultó a Pompeya y Herculano. Drusila había ido allí, precisamente unos pocos días antes de la erupción con su único hijo, Agripa, y pereció sepultada por la lava.

Drusila había deshonrado su fe judía y había rechazado a Cristo, abandonado a su esposo y vivía en pecado. Drusila supo cuán «horrenda cosa es caer en las manos del Dios vivo».

PREGUNTAS SUGERIDAS PARA ESTUDIO Y DISCUSION

1. ¿En qué forma es la vida de Drusila un aviso para la joven de hoy?
2. ¿Dónde se encontraron Drusila y Pablo?
3. ¿Cuál fue el fin de Drusila?

EVODIA Y SINTIQUE

Ruego a Evodia y ruego a Sintique, que sean de un mismo sentir en el Señor.

LEASE FILIPENSES 4

Las mujeres hicieron un gran papel en la introducción del Cristianismo en el mundo pagano. Pablo, desde el comienzo de sus cartas a sus últimas palabras de despedida, nos da nombres de mujeres, que tenían gran influencia en la vida de la Iglesia. En Roma solamente hay Febe, de Cencrea, María «la cual ha trabajado mucho por nosotros», Trifena y Trifosa «las cuales trabajan en el Señor»; vimos a Persida, que merece un comentario similar y Julia, una hermana de Nereo. Vimos especialmente a Priscila en varios puntos. A Lidia. Y aquí se nos mencionan a dos mujeres de influencia, Evodia y Sintique, de las cuales Pablo dice también que «han combatido conmigo juntamente en el evangelio, con Clemente y otros colaboradores».

Las dos serían de los primeros convertidos de Filipos, cuando Pablo llegó a la ciudad. Se ofrecieron a ayudar a Pablo, de modo evidentemente eficaz. No ya una llamarada de entusiasmo, sino trabajo persistente, tenaz, difícil, perseverando en sus esfuerzos para establecer la iglesia de Filipos.

No tenemos idea de la causa de la disención entre Evodia y Sintique. Lo que sí sabemos, que los efectos de la misma tenían que ser destructores para la iglesia. No sabemos si había diferencias doctrinales entre las dos o un puntillo o celos de carácter personal. Otra vez vemos al maligno azuzando a una hermana contra otra, como en el pasado había jugado con Caín. Todo ello era en deterioro de la obra y el crecimiento de la congregación.

¿Qué hace Pablo sobre ello? ¿Encogerse de hombros, y permitir que la pugna continúe indefinidamente. Esto deshonra el nombre del Señor y es un escándalo en la Iglesia. Esto estorba también la obra de la gracia en ambas. Cuando hay reyertas entre personas influyentes se forman facciones en la congregación, pues los unos se ponen en favor de uno y los otros de otro. Estas rencillas habrían terminado con la congregación.

Pablo interviene. Los que han sido comprados por el Señor deben persistir unánimes en la mentalidad de Cristo. En el versículo mencionado exhorta a que hagan las paces. Esta disensión halla eco en la Epístola en otros puntos. Sin duda, Pablo se refiere también a la misma cuando dice en el capítulo 2: «Por tanto, si hay alguna exhortación en Cristo, si algún consuelo de amor, si alguna comunión del Espíritu, si algún afecto entrañable y compasivo, completad mi gozo, siendo de un mismo sentir, teniendo el mismo amor, sintiendo una misma cosa. Nada hagáis por rivalidad o por vanagloria; antes bien en humildad, estimando cada uno a los demás como superiores a sí mismo (vv. 1-3).

Hemos de suponer que esta disensión se resolvió, pero podría haberse transformado en una conflagración que habría destruido la iglesia. Esto ha ocurrido más adelante en numerosas ocasiones.

Es por esto que las advertencias del apóstol son válidas incluso hoy. Nos impulsan a procurar que estas contiendas se apaguen por todos los medios posibles y se efectúe la reconciliación y restablezca la unidad.

PREGUNTAS SUGERIDAS PARA ESTUDIO
Y DISCUSION

1. ¿Qué mujeres tuvieron un papel importante en la propagación de la Iglesia de Cristo?
2. ¿Cuál era la relación entre Evodia y Sintique?
3. ¿Qué hizo Pablo para resolver sus diferencias?